JUMP COMICS

DRAGON BALL

ドラゴンボール

巻四十一　がんばれ超ゴテンクスくん

鳥山　明

とうじょうじんぶつしょうかい
登場人物紹介
孫悟飯
孫悟空
ピッコロ
18号
ベジータ
孫悟天
トランクス
クリリン

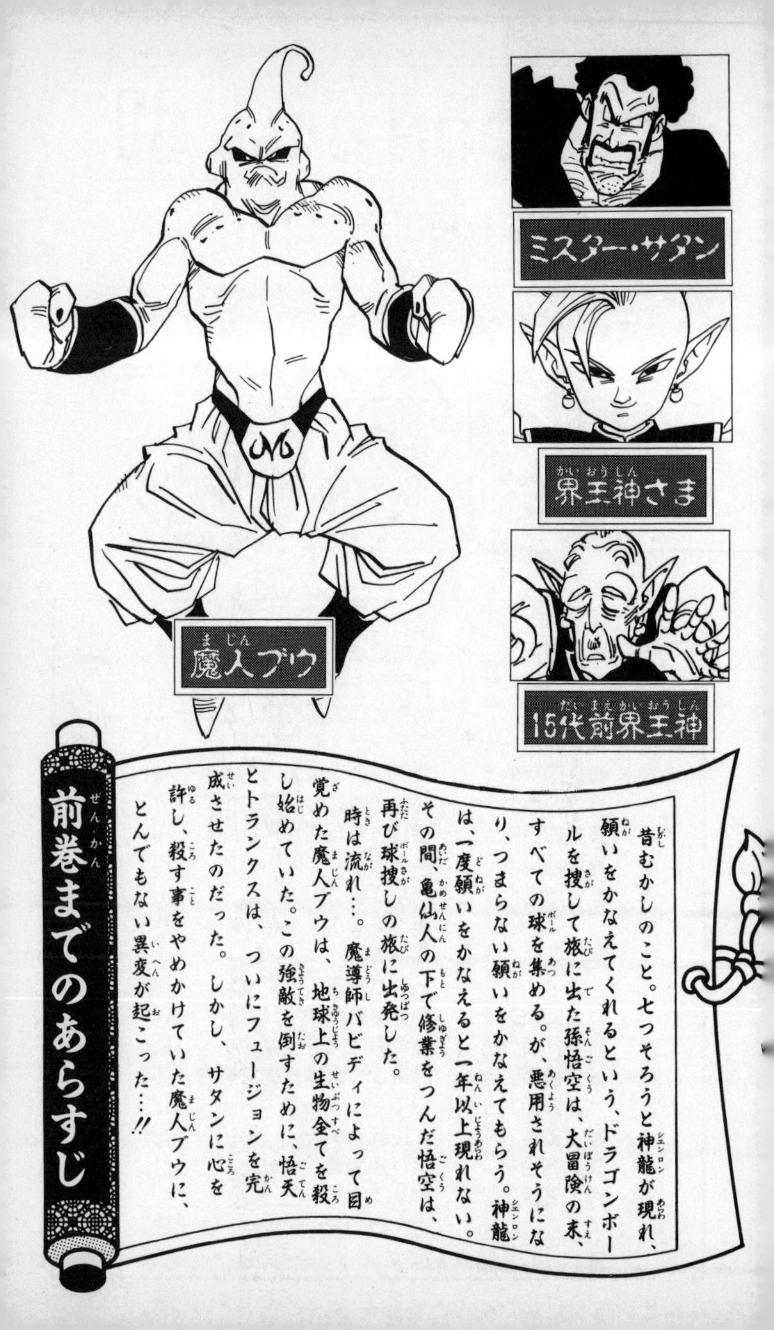
ミスター・サタン
界王神さま
15代前界王神
魔人ブウ
前巻までのあらすじ
昔むかしのこと。七つそろうと神龍が現れ、願いをかなえてくれるという、ドラゴンボールを捜して旅に出た孫悟空は、大冒険の末、すべての球を集める。が、悪用されそうになり、つまらない願いをかなえてもらう。神龍は、一度願いをかなえると一年以上現れない。その間、亀仙人の下で修業をつんだ悟空は、再び球捜しの旅に出発した。
時は流れ…。魔導師バビディによって目覚めた魔人ブウは、地球上の生物全てを殺し始めていた。この強敵を倒すために、悟天とトランクスは、ついにフュージョンを完成させたのだった。しかし、サタンに心を許し、殺す事をやめかけていた魔人ブウに、とんでもない異変が起こった…!!

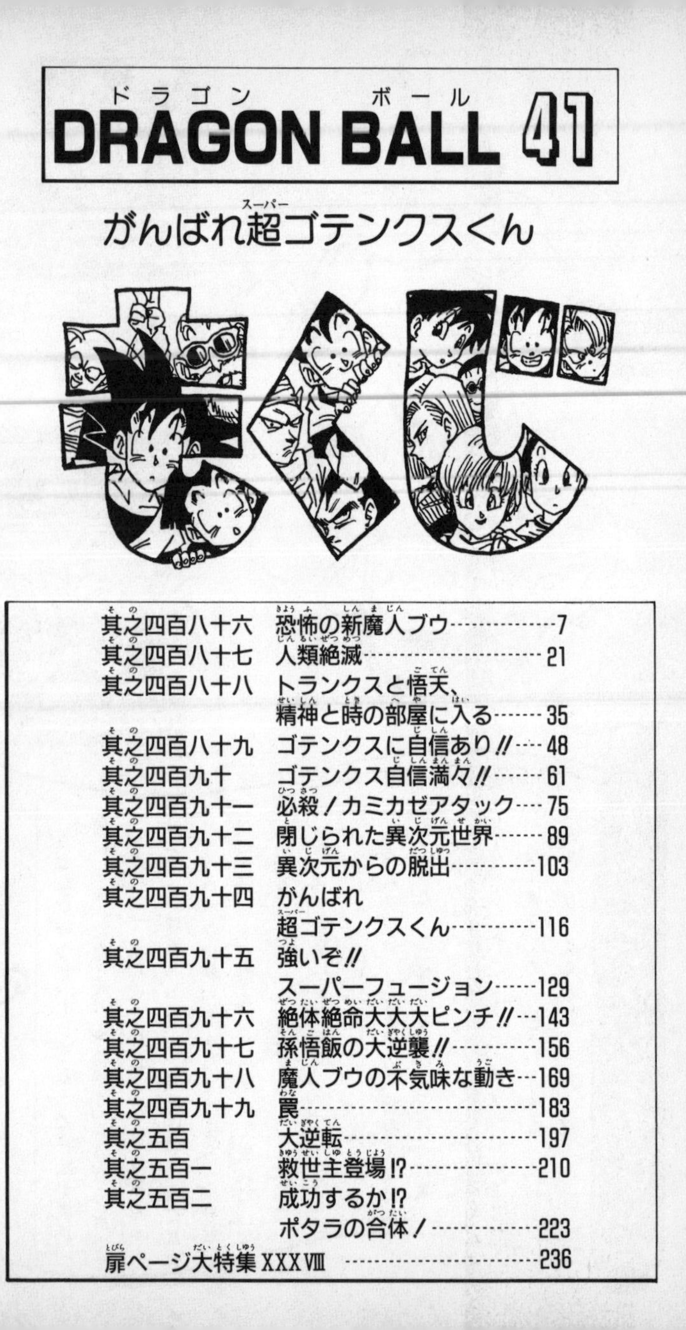

DRAGON BALL 41

ドラゴン　ボール

がんばれ超ゴテンクスくん

もくじ

其之四百八十六

恐怖の新魔人ブウ

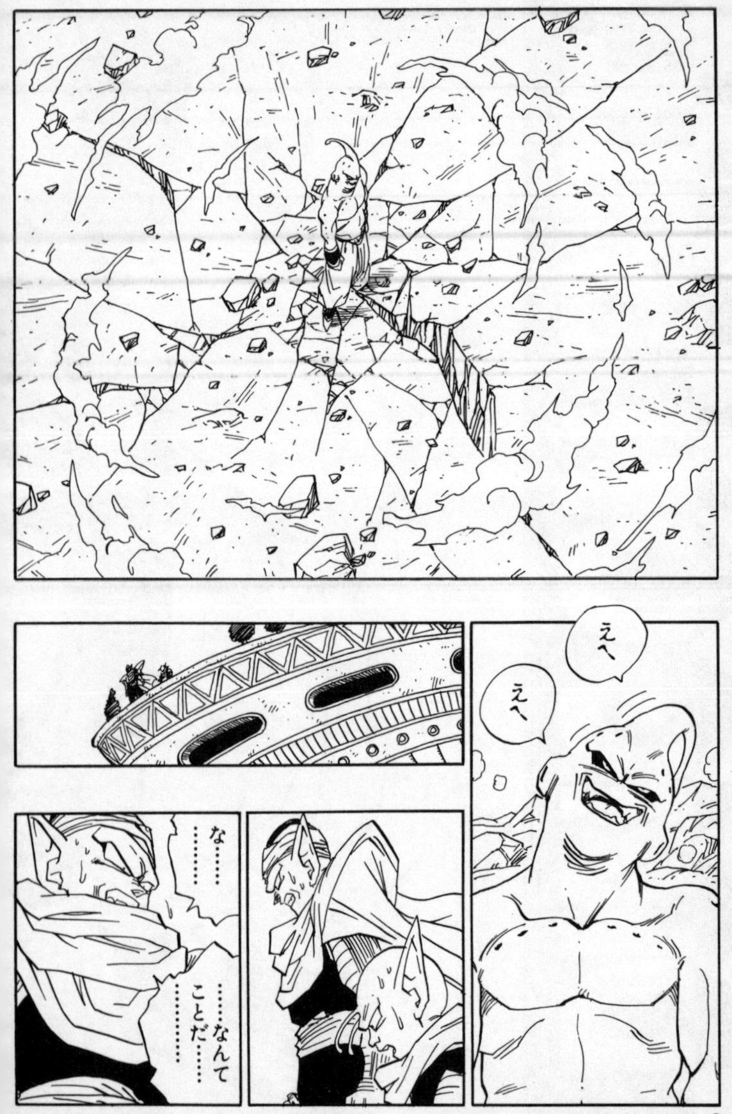
えへ
えへ
な……
……なんてことだ……

おい
どうしたんだ
ピッコロ
さっきから
そんなとこで
………
…気づかんか？
……魔人ブウの
気の変化に…
え？
……ヤツは
変化してしまったぞ…
バカな地球人のせいで
………
純粋な悪となり
カラダも
より戦闘向きな
ものとなって…
こ……
これは……
…これは…
な……
なんだよ…
ま…まさか
やばいってのか!?
…だ だいじょうぶさ！
チビたちのフュージョンがある！
悟空が いってただろ
フュージョンは最強だって…！
……
……
………
だといいがな…

…魔人ブウだろ？この気は…どういうことだ？…
……さ……さあ……
……
あ…あの…もうすこしはやくパワーアップさせていただけませんか…
こ…これじゃあ救わなきゃいけない地球そのものがなくなっちゃいますよ…
まあ　そう心配するな
めいっぱいやっとるよ
はは…
……そうはおもえませんけどね……
あわわわわ……

ひっ……
ひいいいい……!!
あわわわわ……!!
ズダダダダ
ガッ
ビビッ
ビビッ
ビビッ
ビビッ
ビビッ
ビビッ
キュウウウ・・

えっへっへっへっへっへっへ……
あわわわ……
!!

ギュボオッ
ごああっ!!!!
おうっ!!!
う……
うああ………
あ……!!!
プヴッ
パーーン

ひっ!!!!
ビチャビチャビチャ…
プン…
トッ
ささっ
い!?
グッ

ドンッ
!
……
……
え……？
……
あ……
あれ？
い…いない……！
いないぞ!!
ははっ
び…びびった！
あっ あいつ
このミスター・
サタンに
びびったぞ!!
わかる！
わかるぞ！
うははは
はははは…!!

!!
……あ……
あわわわわわわ……!!
………
………
……サ……タ……ン……?
す……
ギュイー

ヘナヘナ・・
ペタン
ブ……ブウ…
あ……あいつ…まだおぼえて……
うへ…
うへへへへへ!!
いやははははははは…!!!
はっはーーーっ!!!!
ドン

うっ!?
えっ!?

はっ!!!
しっ…
しまったあ…!!!
こんどの魔人ブウは
オレたちの気を
みつけられるぞ
――っ!!!

バッ
へえ~~~

うへへへへ!!
ひゃはははははは…!!!

人類絶滅

キーッ
こっ……殺される……!!!
だせ
え!?

だ…だせ…？
いったいな…なにを
だせというのだ…
お…
おしえろ

オレと
たたかうヤツ
だせ
たたかうと
やくそくしたぞ
はやくやって
ころしたい
………
……‼
あ…
あいつ
やっぱり 気を
探せるように
なったんだ…
や…やばいよ
ここにいるはずだ
おおきなパワー
ここにあることわかった
ここしかない
な なによ
いまの声…⁉
だ
だれだ？

え!?
な なに!? あいつ…
た…たしかに ここにいる…
…だが いまは ねむって いるんだ…
おまえとの 闘いに そなえてな
おこせ
たたかうぞ
ま まて もうすこし ねむらせて やってくれ! たのむ!
まだ そいつは フルパワー じゃ ないんだ!
おまえだって どうせなら フルパワーの 戦士と 闘いたいだろ!?
………
う〜ん ………
やっぱり ダメだな
くいん
くいん
オレ まつのキライ
く…くそ…! やむをえん… ドラゴンボールで かならず 生きかえらせる…!! 残った人間たちよ…! すまんが時間かせぎを させてくれ…
たのむ!! あと ほんの すこしだけで いいんだ!! そ そうだ!! おまえは地球人を 皆殺しにするって いってたじゃ ないか!!
まだ地球上には ずいぶん 生き残っているぞ!! 闘うのは そのあとでも いいじゃないか!!

……
ニヤ…

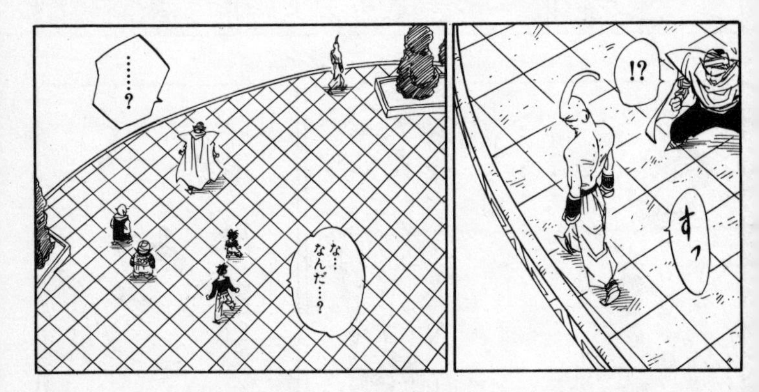
!?
すっ
……?
な…なんだ…?

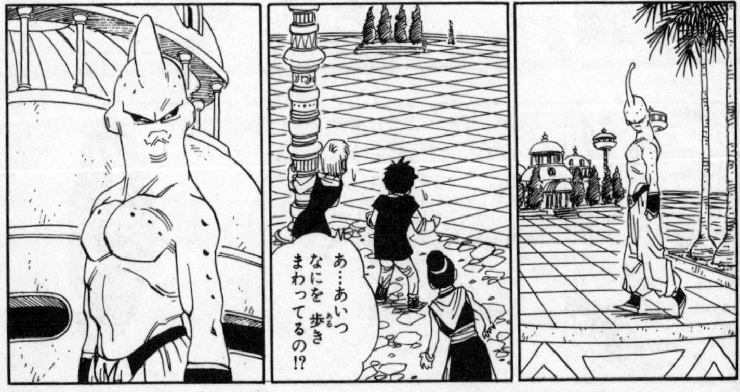
あ…あいつなにを歩きまわってるの!?

なんだ
あいつは…
ま…
まさか
……
い…
一周してきたぞ…
な…なんだよ
ピタ…!
……
!!
!!
バッ
すっ

わーっ
きゃっ
なっ……!!!
あ…あああ……!!!

……
ちきゅうじん みんな ころした
さあ たたかうぞ
たたかうヤツ だせ
わ……
わかった……
…だが その戦士は 寝ていたので 闘いの準備をする 時間だけくれ
2時間…いや 1時間だけでいい たのむ
1じかん…？
それは どれぐらいだ？

パッ
ドン
この砂時計の砂がぜんぶ落ちるまでだ
イヤだ!
ミスター・サタンの子供も待ってほしいといっているぞ!
サラサラ……
イライラ…
え!?
………
………ほんとだ
……サタンとニオイにている………
え…!?

……よし まってやる…
でも じかんになったら みんな ころす
コクッ
サタンの こどもでも ころす
トランクスと悟天を たたき起こして 精神と時の部屋へ つれていけ…! たった1時間でも 15日ぶんの修行は できる…
え!? い いま やっちまえば…
わからなかったか…! いまのままでは いくらフュージョンを しても まちがいなく 勝てはせん…!
まだ ちいさな ガキのうちに 死にたくなかったら めいっぱい修行しろと いっておけ…!
クー
クー
あ…… あぶなかった ……
な… なにがおこって るんだ…上で…
不謹慎な ………
こんな時に 花火か…?

トランクスと悟天、精神と時の部屋に入る

ギッ
…………
ま…まだですか!?
もうとっくに
終わっててもいいころじゃないんですか!?
え?
もうそんなころか?
ふ…ん
まだ終わらんちゅうことは…
おまえさんの潜在能力がよほどすごいってことじゃろ
バッ
いいかげんにしてください…!!!!

…そんな
いいかげんなことで
ボクが 魔人ブウ
に……
………
…か……

…か…
勝てるわけ…
……な……
…………
……………
な…なんだ…!?
こ…この
湧きあがるような
パワーは…
こ…これが
ボクか……!?
……
さっさと
すわれ
よけいなことを
しておると
そのぶん また
時間がながくなるぞ
……
す……
……
すみません
でした……
……
……
…ほ……
ほんとに
どうも……
……
…す…
すげえ…
…ほんとに
た…ただの
くそジジイじゃ
なかった…

せ…潜在能力って…もともともっているかくされた…本当の力…だよな
え…ええ…そうだとお…おもいますが…
……
そ……そりゃねえだろ……
…ご…悟飯のヤツいったいどれだけの力をかくしてやがったんだよ…
え!?あれが魔人ブウ!?
ほ…ほんとにかわっちゃったんだね…
姿だけじゃないすべてが確実に前を上まわっている……
ふ~ん…
これでわかっただろ…さあはやく精神と時の部屋にはいるんだ
ここでの1分間であそこなら6時間も修行ができるんだぞ…!

あ!
おかあさんか……!
なに!?
つかつか
な なにをするつもりだ………!
バ…バカめ…!
パンッ
魔人ブウ!! おめえよくも悟飯ちゃんを殺しただな!!
かえせっ!! 悟飯ちゃんをかえせっ!!
あ…ああ……!!
タマゴになれ

え!?
ビビッ

パッ
あっ!!
スッ
グシャッ
!!
お…
おかあさん
………!!

ちっ…
ちくしょう…!!
ちくしょう
魔人ブウ……!!
よ…
よくも
……
こらえろ悟天!!!
すべてをムダに
したいのか!!!

ピク…
母親は
ドラゴンボールで
生きかえらせることが
できるんだぞ!!
きさまとトランクスが
魔人ブウを
倒しさえすればな!
だが いまの力では
まだムリだ…!
だから 修行しろ!
残された短い時間で
必死に修行するんだ!

わかったか
………
………
やりやってやろうぜ
悟天!!
バッチリ修行して
ぶったおしてやるんだ
魔人ブウを!!
…よ…
よお〜〜〜……し!!
まあ そう
あわてる
ことは
ねえよな
むこうじゃ
1時間でも
ここじゃ15日も
あるんだってよ
それにしても
ひでえとこだな ここ…
おい悟天
食料ったって
まずそうな粉と水が
あるだけだぞ
しんじらんねえよ
まったく…
はあっ
はあっ
はあっ
……
ま
まてよ
いっしょに
やろうぜ

あ…
あの…
ま…魔人ブウは
父を知っている
みたいでしたが…
どういうことか
ごぞんじですか…?
な…なぜ…?
わたしには
さっぱり
わかりません
………

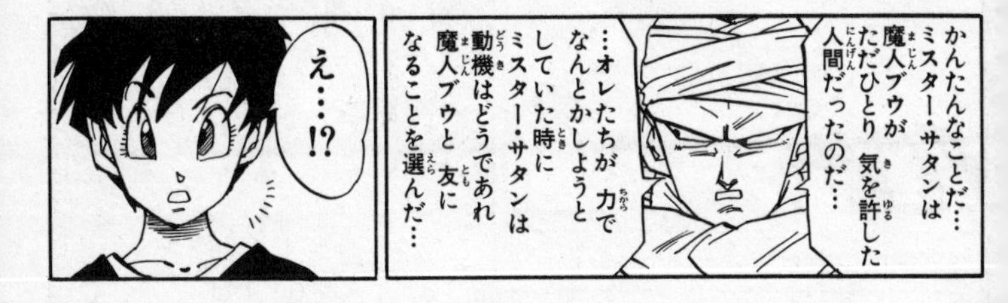

かんたんなことだ…
ミスター・サタンは
魔人ブウが
ただひとり 気を許した
人間だったのだ…
…オレたちが 力で
なんとかしようと
していた時に
ミスター・サタンは
動機はどうであれ
魔人ブウと 友に
なることを選んだ…
え…!?

その証拠に
地球人は
全滅させても
ミスター・サタン
だけは 殺しては
いない…
あのように
ただの破壊獣に
変わって
しまっても
その記憶だけは
残っているのだ…
力は オレたちに
かなわんかも
しれんが
やはり
おまえの父は
誇り高い
世界チャンピオン
だ………

パパが……?
……
イライラ…
イライラ…
イライライライラ…!!
うおお──っ
もうダメだっ
もうまたないぞ──っ!!!!!
!!
なにっ!?
バキッ

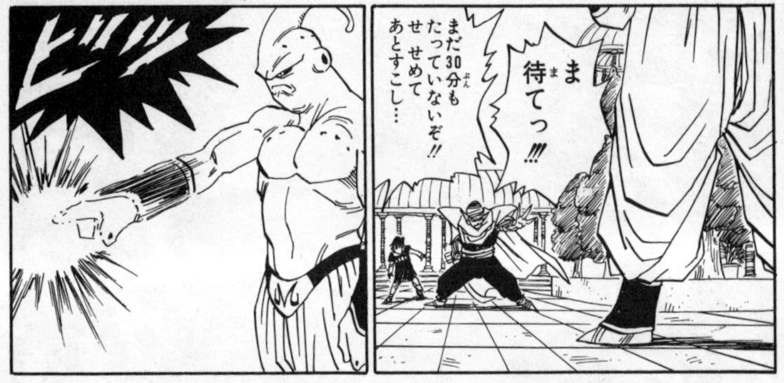
ま　待てっ!!!
まだ30分もたっていないぞ!!
せ　せめてあとすこし…
ビッ

ズオッ

いやだ
もう　またない　たたかう…!

……………!!!
わかった
闘わせてやる
ついてこい
………

次は、其之四百八十九　ゴテンクスに自信あり!!

な…なんで精神と時の部屋で闘わせるんだろう……
…あそこならもし トランクスさんと悟天さんが負けてしまうようなことがあっても出入口を こわしてしまえばむこうの世界にとじこめることができるからだとおもいます
こっちの世界とは次元がちがうからにどと 出てはこれません…

え――っ!?じゃ じゃあトランクスと悟天くんはどうなるの!?
だいじょうぶです
殺されてもあのふたりはドラゴンボールで生きかえることが可能ですから…
う~~~~む…ピッコロのヤツおもいきった作戦をかんがえおったわい…
……

…で…でも……
それにしちゃずいぶん遠回りしてないか?
すこしでも時間をかせいでるんだよ…
ピッコロいってただろここでの1分間があそこじゃ6時間だって…

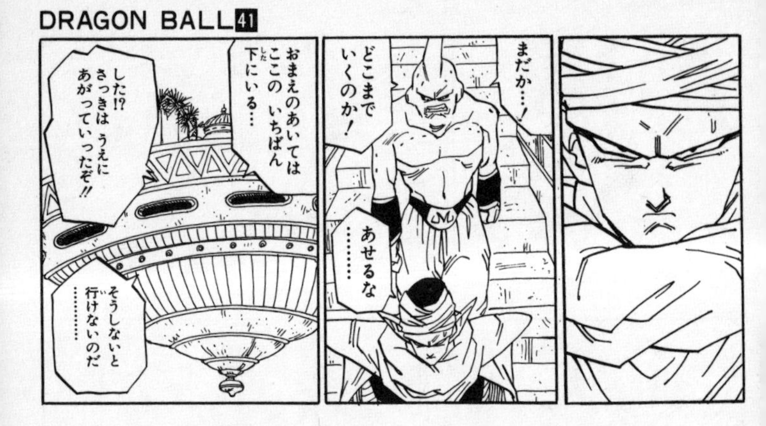
まだか…!
どこまでいくのか!
あせるな………
おまえのあいてはここの いちばん下にいる…
した!? さっきは うえにあがっていったぞ!!
そうしないと行けないのだ………

はあっ
はあっ
はあっ
はあっ
はあっ
はあっ

はあ…はあ…な…! できただろ!
う うん!!
はあ…はあ……… す すごいや! 超サイヤ人の上があったなんて…!
これで勝てるぜ ぜったい…!
ヒヒヒ… ぶったまげるぞ みんな…!
…でも つかれるね~
いっきに力をみーんな使っちゃう感じだよ…

…でも
こいつの欠点は
時間だな…
みろよ…
なってられるのは
5分ていどだぜ…
フュージョンまで
解けて ふたりに
もどっちまう…
そんなの
平気だよ
いきなり
いまのになってさ!
5分もあれば
ぜったい
やっつけられるよ!
バーカ
それじゃ おもしろく
ねーよ!
オレたちは
1週間も
修行
したんだぜ
………
?
オレがおもうに…
ふつうの状態の
フュージョンでも すでに
魔人ブウと トントンぐらい
まで 上達してるとみた…
おなじくらいの実力で
こいつは勝負が
長引きそうだ……と
おもわせておくんだ
みんな あせるぜ〜
なにしろフュージョンを
していられるのは
たった30分だからな
そんでもって残り5分!
いまのウルトラ超サイヤ人
になって
あっというまに
かたづけてみせるんだ!
どうだ!!
メチャクチャ
かっこいいだろ!
うひひひ…
だろ〜〜〜
あせるぜ魔人ブウのヤロウ
ざまーーみろ!
オレのパパや悟飯さんや
悟天のママのカタキ討ちだ!
お———っ!!!
やって
やる
———っ!!

きこえるか
トランクス
悟天
オレだ
ピッコロだ
え!?
?
?
…いま
おまえたちの心に
話しかけている
こ…
こころに!?
だまって
よく きくんだ!
…いいか…
予定よりはやく
おまえたちは
魔人ブウと
闘うことに
なってしまった…
いま 魔人ブウと そっちに
むかっている…
え!?
ま まずいよ
ボクたち いま
フュージョン終わった
ばかりなんだから!
そのことは だいじょうぶだ
わざと遠回りして
時間を稼いでいる
そこでなら かなりの
時間になるはずだ…
今すぐに
闘いにそなえて
カラダを休めて
おくんだ 寝ろ!
…たぶん
引きのばせて
あと1分ていど
だろう…
そっちの時間で
6時間てとこだ…
わかったな! じゃあ…
……
……
へっへっへ…
6時間もありゃ
じゅうぶんさ
ピッコロさん
もうバッチリ
修行ができちゃってるって
知ったら おどろくよね

…そうだ メシでも 食わんか？
いらん!!!
いいかげんにしろ… ダラダラ あるきやがって…
ころすぞ おまえ…
わ… わかった……
すー
すー
かー
かー
ニヤ…
ピタ…
ここだ…
グ…
フウ…

キイ・・・

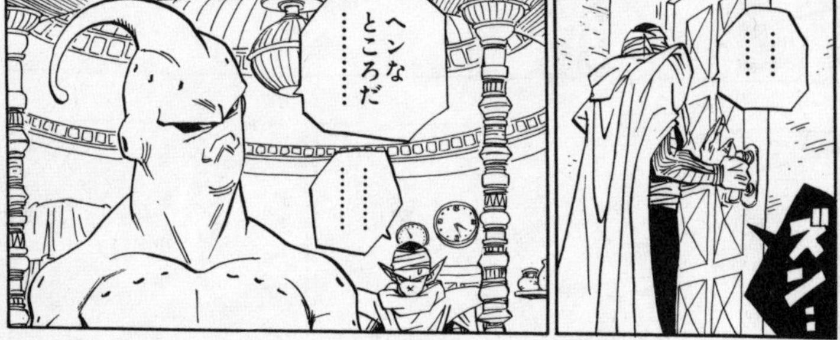
……
ズン…
ヘンなところだ……
……

ジャジャジャ
ジャーン
まっていたぜ
魔人ブウ!!

……
あれか?
そうだ…

た…たのむ…
奇跡よおこってくれ…
おい…見物客はピッコロさんひとりだぜ…
ちょっとガッカリだよな…
チ…
あれか……

…まあ
いいや
しかたない
予定どおり
やろうぜ…
……うん
これでおわりだぜ!!!
魔人ブウ!!!

………
まってそんした…
いくぞ!
オッケー!!
サーッ

ビッ
ドカッ
あっ
ガンッ

い…いって———っ!!!
ちょっと待てよ　この～～～っ!!
いきなりだもんな!!しんじられねえよ!!
バッカじゃねえの!!も———っ!!
ちょっとはかんがえろよ!!
これからすっごいことしそうだったろ!?
……
待つの!!!わかった!?いい!?
やりなおしだよ…
うごくなよ
それでなくても神経つかうんだから……
……
もういちどいくぞ悟天!
うん!!せ～～～の……………
タカタッタッタカ…
フュー…
なっなんだ!?
超サイヤ人でななぜ始めんのだ!!!

ジョン

ほいっ!!!!

!?
よし
いいぞ!!
とりあえず
合体は
完璧だ!!!

パンパカパーン
ゴテンクスだーー!!
おまえか……
おぼえているぞ まえオレにボコボコにやられたヤツ
バッカやろう…前のオレとおんなじだとおもったら大マチガイだぜ……
時間がかぎられてるんだ!さっそく前とはぜんっぜんちがうオレをみせてやる!!
たたしかにちがう…!!
たしかに大きくパワーアップしているぞ…!!
こ こいつはもしかして…!!

ちえい!!!!
うりゃりゃりゃりゃ
りゃりゃ――っ!!!!
ドガガガッ
もう オレ こうげきして いいか?
……
ちょ… ちょっと 待ってね…
…お… …おかしいぜ… そこそこ きいてるはず なんだけどな… …はっは~~ん あいつ やせガマン してやがるな…
……
……
…ダ… ダメかも しれない…

うひひひひ…

其之四百九十

ゴテンクス自信満々!!

ふ…ふん!
いまのは
本気じゃなかったさ!
も もちろんな
オ オレが
マジになったら
どういうことになるか
みせてやるぜ…!!
ダイナマイトキ――ック!!!!
バシッ

ドガッ
……
ローリングサンダーパ―――ンチ!!!
ズン
イノシシアタ――ック!!!
ドムッ
パワータックル!!!
ベチッ
ミラクルスーパーパンチ!!!
ドゴ
グレートキックスペシャル!!
ズボ
え…とマグナムサンデー!!!
バキッ
ウルトラミサイルパフェ!!!
ガンッ
ハイパープラズマショートケーキ!!!

バシィッ
ズカア゛ー
バッ

うぎぎ……!!
ひいい……
い……
いって……!!!
……
……

へっ…へへん…!!
てめえ けっこう タフじゃ ねえかよ…
ま まあ そんなのは け 計算どおり だがな…!
もう たくさん おまえ よわい
おもしろく ないから ころす
なんだと~~~ でかいクチ ききやがって…!!!
ぜんっぜん わかってねえな このオレの ほんとうの こわさを…
後悔しやがれ!! おまえは このオレを おこらせてしまったぜ!!
スーーパーーー…
サイヤ人!!!!!

!!
ザワッ
おおっ!!
フュージョンの後でも超サイヤ人になれるのか!!!
もうおわりにしてやるぜ
おあそびはな
トン
トン
ビッ
ん〜〜〜…どの技からきめちゃおうかな〜〜〜
いろいろ考えちゃったもんね〜〜〜

よし!!
きめた!!
…………
1発で死んじゃうかもな…
ま いいか
くらえ!!!
ギャラクティカドーナツだ!!!!
ビッ
ピ…!
クリッ
ブー…ン
ヒュッ
?

バッ
グーーー・・ン

スッ

でやっ!!!!!
ガッ

ギュンッ
!!
にぎぎぎぎ
ぎぎ……!!!!
ググググ…
おっ!!!!
おおお
お…!!!
おおっ!!
ぎゃあああ…!!!!
うそ

バ
グシャ
へ!?
……!!
は…ははっ
ま まあそうくるだろうとお おもってたぜ
ちぇい!!!
ビッ!!

わっ!!!
パ
ドガッ
ぐふっ!!!
バッ
バギッ
クルッ
ぎゃっ

ヒュ ーーッ
ヒャホホ ーーッ
クルッ
バシッ
!!

ひ〜〜〜っ
おちちちち
……!!!
タッ
ダシッッ
はあ
〜〜〜
へ…へへ〜〜〜ん
だ!!
ざま——
みやがれ…!!
もも
もっと
いろいろみせて
やろ——と
おもったがな…!
めめんど
くせ——から
とっておきの技で
終わりにしてやるぜ!!
も……
もしかすると
……
た…
たおせるかも
しれんぞ…!!
くらえ!!!
そして
この世から
消えちまえ!!!

苦労して特訓した大技!!!!
スーパーゴーストカミカゼアタ――――ック!!!!
へ……?
んんんんんん…!!!
バッ
ポウ‥
もごもごご‥
…………
はあーい
オバケだぞ~~~
勝った

其之四百九十一

必殺！カミカゼアタック

ひっひっひっ
ひっひ……
こわいぞ
こわいぞ〜〜〜〜

ヒュ〜〜〜
ドロドロ
ドロ〜〜〜
いくぞ〜〜
いいか〜〜
ほんとに
めっちゃ
こわいぞ〜
………
……？
な…なんだ
あの技は…
あんなの
はじめてだ
………
くっくっ
く……
死んだな

さあいけ!!!
オバケ!!!
スーパーゴーストカミカゼアタックのおそろしさをみせてやるんだっ!!!!
オーケー!
せ〜〜の…
ドギュッ
ふんっ!!!
ゾ
イッ

ズッ
ぐっ!!!!!

ご……
ぐごごごごお……
!!
おおっ!!!
イエーーイ!!バカめーーっ!!!
オバケにちょっとでもさわれば大爆発を起こすのだ!!!
おおお…
くあああ…
はやくとどめをさせ!!!
もとにもどってしまうぞ!!!
わかってるわかってるって!
ビシッときめてやるさ!!

スーパーゴーストカミカゼアターーーック

オバケまとめて10人フィニーーッシュ!!!!

んんんんんん……

バッ

ポッ

ポッ

ポッ

ポッ

ポッ

ポッ

もごもご
もごもご
もごもご
もごもご
ジャーン
……
よーーし整列ーーっ!!!
きをつけーー
前ならえーー!!!
ビビビッ

バカヤロー 気をつけろよ さわったら 爆発するだろ!
うるせえ! てめえが 前に 出すぎ なんだよ!
……
こら そこ!!
私語は つつしんで ちゃんと 並ぶ!!
きをつけ!!
番号っ!!!
1
2
3
4
5
6
7
8
9
10

よおーーし!!
おい…
え?
…とっくに もどって しまったぞ
魔人ブウ……
ん!?

チュー…

……ヤロ〜〜〜
…なめやがって…… クリームソーダ 飲んで いられるのも いまのうちだぞ!

オラオラオラ
魔人ブウ――ッ!!!
ん!
もういいか?
それ――っ
1番2番
突撃――っ!!!!

お―――――っ!!!!

ズズ……
ズズ~……

!!
シャッ

!!
バーカ
おなじ てはもう くわないぴょーん

おいっ 集合っ!!
……
みたか いまのあいつのアタマわるそうなカオ…
そこで3番4番5番6番7番がよ…

いくぜっ!!
ファイト
オーーーッ!!!
よーーーし
やってやろうぜ!!
ざまーみやがれ!!
パシッ
あ
…………
…………
く……
くそ～……
バカタレめ……

二人のバカオバケがいなくなってしまったので10番だけ残して作戦どおりいけ!!!
ゴーーーッ!!!!

ヒュン
ヒュン
ヒュンヒュン

またか!
サッ
ササササッ

あ、なんだろーこれ
なんだろーー

ふしぎだなー
なんでこんなところにーー
これってさーーあれだよね
…………

…………
？
？
？
ふら ふら…
これ うんこ だよなー
バカ！ そんなこと いうな！
すっごい いいもんだよな――！
おいしい かな――
どうか な～～
いまだ!!!
ドン
ドドドン
ゾバ

う……
うむむむ
……………
……す
すごい闘いだが
どこか
くだらないぞ
………!!
ゴオオ…
か…
かここ…
きょええええ
………
よしっ!!!
10番!!
とどめだ!!
ブウの
クチから
中に入って
あとかたもなく
吹きとばせ!!!
イエッサ
──!!
シュポッ
おご!!!
おわった…

バッ

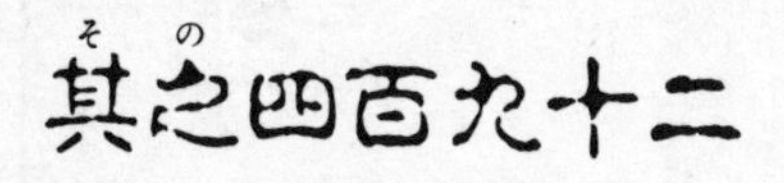
其之四百九十二

閉じられた異次元世界

なあ 界王神さま…気がついてるか?
さっきから魔人ブウの気が消えてるってこと
え!?
…あ……
そ…そういえば……!!
ど……どういうことだ
し……死んだのか!?
…わからねえな… チビたちのフュージョンの気も 感じねえし… 闘ったようでもねえし…
なんで 気がプッツリと消えちまったか…
なあに 時の異次元世界で闘っとるんじゃよ

え!?なに!?
時の…!?
時の異次元世界じゃ
心あたりはないか?
精神と時の部屋だ!!
…なんであんなところで闘ってんだ…?
チビたちが修行してたらブウにのりこまれたのかな
いや…ナメック星人がわざわざ魔人ブウを中にいれたようじゃな
なぜかまではわからんがの……
へえ……
なんでわかるんだろ
すげえな~~悟飯の力もアップさせちゃうしな~~……
さっすが界王神というだけのことはあるよな~~
むすっ…
ふんだ……
…どうせわたしはなんの役にもたってませんよ…

ビチャ
ビチャ
へへっ……ちょっとガキっぽかったかな
オレとしたことがマジでやっちまったぜ
ホッとしているヒマはないぞ!!
魔人ブウは再生する!! バラバラになった肉片すべてを焼きつくすんだ!!
オレもてつだう!!
ジュボッ
ちぇ……
とっておきをみせられなかったのがちょっと残念だな
ボフッ
これでおわりだ
へっ……あっけなかったな
よくやった ほんとうによくやったぞ! 正直言ってここまでできるとは おもってなかった
ふん

ヒュウウッ
なっ…
なんだよ
この風は
……!!
!?
おおい
……!
煙が
あつまってるぜ
くっそう…!!!
魔人ブウの
ヤツ……!!!
ムク
ムク
ムク…
あらあ…
…もしかして
もどっちゃうの
かな……?
げげげ
……

ズバーン
や…やっぱし…
……ねえ
ど…どうすりゃいいわけ？
焼いちゃってもダメだってのは……
……あ…
………う……
トッ
ヌ…
ヌヒヒヒヒヒ……
……あららら…
………かんぜんにアタマきちゃってるみたい……
く……くそう…しまった…!!
焼かずに気で完全に消滅させてしまうべきだった……!!
そ…そして念のためにこの部屋の出入口を破壊してしまえばブウはこの次元のちがう世界にとじこめられ完璧だった……

…もういちど
やれるか さっきの
スーパーゴースト
カミカゼアタック
………!!
…それとも
ほかにも
大技が…
……くっくっく…
あるんだよな~~
とっておきが…
…でも
ちょっとピッコロさんを
びびらせちゃおうかな~~
そのほうが
もりあがるし~~~
ダ ダメだ~~っ!!
も もう
大技を出せるような
パワーが
のこってないよ~~っ
おしまいだ
~~~っ
この世の
おわりだよ~~っ
………………
……く……
はあっ!!!
え!?
~~~

うっ!!!
クルッ
わーーっ!!!
グイーーッ
ドゴッ
グンッ
バチッ

ドガガガガッ

ブラ……ン
は…
はなせよ
ター
コ…
ギ…
………

ダッ
ガッ
ギュルルルッ

い……
いってぇ～～……！
も もう アタマに
きたぞ
あんにゃろめ～～……!!
ピンポンパンポ～～～ン♫
みなさん ながらく
おまたせいたしまし
た～～～～～っ
ついに
おみせいたしましょう！
とっておきの技

ドゥーン
へ!?

ピ…ピッコロさん…
そ…そ…それって…
きさまもこれまでだ…
魔人ブウ………
?
きさまや　われわれのいた世界とこの世界とのたったひとつの出入口を破壊した…
……きさまはたしかに強い……あのゴテンクスですら　残念ながら倒せなかった…
だが　いくら強くてももう一生　ここから抜け出ることは不可能だぞ…
い!?
……
さあ…オレたちを殺し永遠に　ここで孤独に暮らすがいい……
…このなにもない世界でな……

……オ……………
…オレの
スキな
…お…
お菓子は……
ここには
………
ない
!!
んもうっ…!!
な なんでだまって
そういうこと
すんの…!!
とっておきの
すっごい技が
あったのにい~~~!!!
な…
なんだと…!?
お…おまえ
もう限界だって
いうようなこと
言ってたじゃ
ないか……!
あれは軽い
ジョークさ!!!
かわいいうそっ
てやつだよ!!!
もうっ
もうっ!!
アホか――っ!!!
こっ こんなときに
なにが
かわいい うそ
だ――っ!!!!
ち――っとも
かわいく
な――い!!
バカ!!
バカ!!
バカ――ッ!!!
バカは
そっちだよ!!!
バカ バカ
バカ バカ
――ッ!!!
あの家
もとに
もどしてよ!!!
にどと
もどせるか
――っ!!!
バカ バカ
バカ バカ
バカ――ッ!!

!!
ぬっ!!!

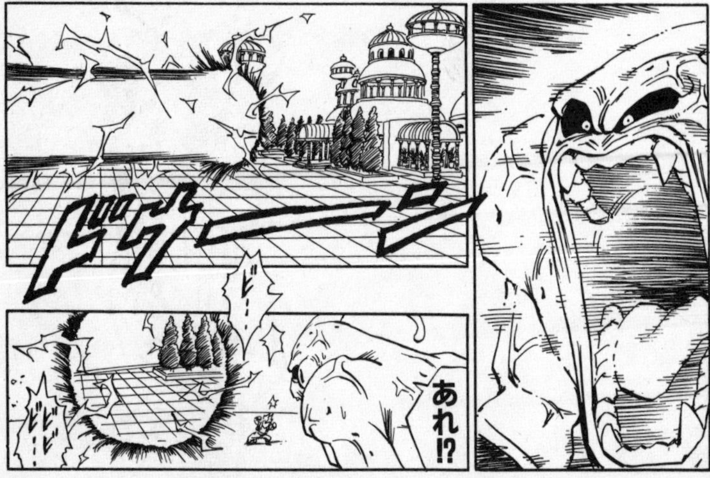
ドヴーーーン
ビ・・・!
あれ!?
ビビビ・・・

其之四百九十三

異次元からの脱出

シュン
ズオッ
!!
ぐっ!!!
き……
消えた…
し……
しまったあ
——っ!!!!
な…なんの
音だったんだろう
今のは……
ねえ…
なに!?
あれ……

!!
魔人ブウの気だ……!!
あいつ精神と時の部屋から出たみてえだぞ!!
……………
チビたちのフュージョンした気が感じられねえ…
…ちくしょう…!!どうなってんだ…みてえなあ…!!

みるか?
え?
ヒュッ

ほれ
ヒュッ
トン
コロコロ・・
お!!
すげえ!!みえるみえる
……

シュン…
な
なんなのよ
あれは…
ま…まずいぞ
こ…この気…
ま…
魔人ブウだ!!!
ベベッ
トプン…
え!?
な…
なんだ…!?
ヌ…
ギュウウ…
あ…!!

ふう…
ニヘ…
ラッキー
ちょっとハラへってきたからちょうどいい…なんにしようかな~~~
チョコにきめた!!!
!!
ち…ちくしょう…
……
あ……
あ……あのやろう……

な……
なにがあったんですか!?おとうさん
お・・おめえはよけいなこと気にすんな…
……
神経を集中させてすこしでもはやく闘えるようになれ
は……はい…
……も……もうだれも守る者はいなくなっちまった…
……だがなんとかなるはずだ…地球が……ドラゴンボールが残っているかぎり…
かあぁっ

ハアッ
ハアッ
ダ…ダメだ…
針の先ほどの穴も
あかない……!
ハアッ
ッハ
こ…こうしてる
あいだにも…
む…むこうでは
数時間も すぎている…
ま…まずいぞ みんなが…
ちぇ…
しょうがねえな…
あれ
つかうか……!
もうちょっと
かっこいい場面で
なろうと
おもってたのにな
な……
なんだと
いうのだ…!?
ひっひっひ…
なんだと
おもう～!?

ジャジャーン!!!
ほっ!!!

はああああああ…!!!!!
ビビ…
バチ…
お…おい…なにを……
バチッ
バチバチ…
!!

イエーーイ!!
…………!!!
お…おまえ……それ…どうなってるんだ…!?
どうなってるったってしらないよ
へっへ~~っびびったでしょ!?
でもめっちゃくちゃ強いんだぜ!

だけど カオがちょっと悪役っぽいのが気になるけどね
……まそれはピッコロさんもいっしょか…
なしゃべってる──んてばあいじゃないんだよな
これなってられる時間すっげえみじかいんだ!
す───…
ズボッ
ビビ…
やった!!!!
ビビビビ…

ほら!
はやくしないと穴がとじちゃうよ!!
あ…!
バッ

オラオラオラ魔人ブウ!!!
オレたちも出てきてやったぜ!!
ザマーみやがれ!!!
ほう…
よくでてこれたな
ペロ…

あれ?
おまえちょっとかわったか?
バーーカ!ちょっとどころのさわぎじゃないぜ!
すっごい すっごい すっご〜〜〜〜〜い強くなってしまったのだ!!!

す…すごい………
こ…これがフュージョン…
い…いや…フュージョンにはちがいねえが…
こ…こいつは……超サイヤ人3だ…………!!
し…信じられねえ…あのクソガキども…オ…オラがなん年もかかってやっとできた超サイヤ人3に…
も…もう あっさりなってやがる…すすげえ…はは…すげえぞ…!!
きゅ…宮殿が…
き…きさま ここにいた連中をどうした
へへへ…ここだ
ポンポン
………!!
たっ…
たべちまったのか!?
チョコにしてな
ガーーン

次は、其之四百九十四 がんばれ超ゴテンクスくん

ドガガドガッ
ぎっ!!!
あ!!
!!

だっ!!!!
ギュンッ!!
ガッ!!
ギュオッ

ガガァッ!!
バババ
おちちちちちち…!!!!
きゅ…
宮殿が……
……
タッ

う…
ううう
う～～～～～～
うっが
がっお
くっ
へっへ～～っ
おこってる
おこってる
……宮殿(きゅうでん)が～……
グイン
クルッ
ヒヒヒ…

な なんだ
なんだ!?
ボール
みたいに
まるく
なったぞ…!
宮殿(きゅうでん)……
………
わっ
!!!
ゴ
ロ
ロ
ゴ
ロ
ロ

ギュウウン
だっ!!!
ドガッ
ドガッ
ドガッ
ドガッ

なっ
なんとかしろっ…!!!
へいおまかせっ!!!
バッ
連続(れんぞく)……
スーパー……
ピロピロピロ…
わっ!!!
ドカッ
そっ そのポーズをせんと技(わざ)はだせんのかっ!?
……だせるけどさあ…
まいいか… ちぇ… かっこいいのにな……

連続スーパードーナツ!!!!
ザザザザッ
スポポポッ
!!
ギュッ
ぎっ!!!!

スポッ
へーい!
いっ いいぞ…!!!
まっ魔人ブウを封じ込めた!!!
ダメダメ! こんなのすぐ出ちゃうさ
うんとダメージをあたえてやるんだ!
え…と… え…と…
激突ウルトラブウブウバレーボールだーーーっ!!!!
ピッコロさんも手伝って!!
え…!!
わ わかった!!
いくわよ!!
う… うむ…!!
ちがうよ! 「いくわよ」…っていったら「はあ~~い」っていわなきゃ!!
はやく ちゃんとやってくんなきゃ 魔人ブウ出ちゃうよ!!

ボクだって この姿に
なってられるの ちょっとだから
あせってるんだからね!!
いくわよ
──っ!!
は……
はぁ～～い
そ──れ
パ──ス!!
ボンッ
ト…
ポリッ
ト──ス
ツ
ク!!!!!
アタ──…

ヒャッホーーッ
キューン
……
ヒュウウウ…
……い……
いまのは……
…べつに オレが
手伝わなくても
よかったのでは…
キイイ
お!!

わーーお!
だっはっはーーっ
まるで隕石が
おちたみたーーい♡
いや〜〜〜〜〜〜ん
こわーーーい!

其之四百九十五

強いぞ!!スーパーフュージョン

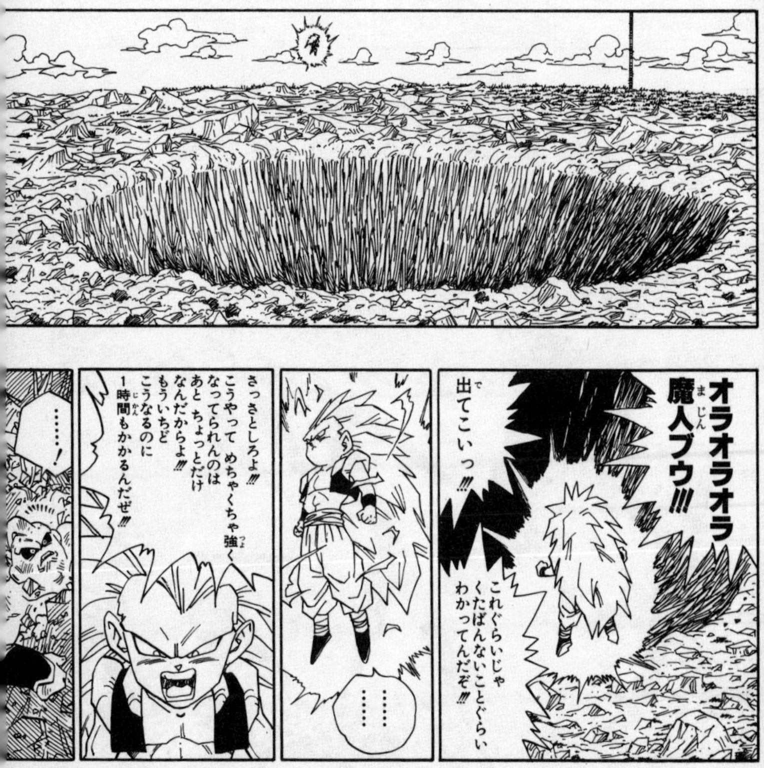

シューーッ
………あれ？……
死んじゃったかな？
たっはっは～～!!まいったな～～
ちょっとあっけなかったな～～～っ強すぎちゃったかな～～～～～っ!!
ガッ
ん!?
ドズオッ

うわっ!!!
うっ……
うおおお……っ
ふい～～
や……
やべえ……!!
あ…あんなのを
まともにくらったら
ち…地球は
あとかたもなく
消し飛ぶぞ……!!!

……ちっきしょうめ……!!!
やりゃあがったな!!!
うおりゃああ――っ!!!!
連続死ね死ねミサイルーッ!!!!

よ よせっ バカ!!!
地球そのものを ふっとばす つもりか!!!
いいじゃんかよ!! どうせ だれも 生きちゃ いないんだからさ!!
いまは ドラゴンボールが 地球じゅうに 散らばって いることを わすれるな!!
ボールを ひとつでも 破壊してしまったら もうにどと もとの地球には もどらんぞ!!!
あ!
そうか

まいいけど
もうずいぶんやっちゃったから
そうとう弱ってるはずだよ
ボンッ
う……
うがう………
……弱ってねえ…
アッタマくんな…もう!

いいや…弱っているぞ…体力的にはどうか知らんが精神的にはすこし弱ってきている……!!
あ…あいつにははじめてなんだ……おまえのような強い者と闘うのは……少くとも互角の強さを持つ者にうろたえを感じている……
でっへっへ! ようするに魔人ブウはびびってるってんだろ!? そりゃあそうだろうな!!
オレの強さといったらハンパじゃねえからな!! なんつったって宇宙一なんだもんな!
油断するな!! これでヤツも死にものぐるいでやってくるぞ…!!
だっはっはかまわないかまわない! 望むところさ!!

ドガガガ
いってえ――っ!!!
ちちくしょう!!!
なんてスキだらけのヒーローだ!!
だ――っ
ブンッ
バッ
んにゃろ――っ

バ
ゴッ

ズドドドドドッ

ぎっ

ちぇーっ!!
バッ

て……
てめえ……
おかえしっ!!!
ノーーッ!!!!
タッ

ちぇい!!!!
あぐっ……
くっ
ふふんっ
ガッ
ガッ

ドカッ
ガッ
ズゴッ
バキッ
すげえ すげえ!!
こりゃあ 悟飯の出番はねえぞ!!
おおお!!
げっへっへっへ!!!
とどめだ!!!
コナゴナのバラバラのギタギタのケチョンケチョンにしてやるぜっ!!!
パッ
死ね……
こんどはもう元にもどれないぞ!!!
バラバラになったのを気で かんっぜんに消してしまうからなのだ!!!
あ……あれ……?

其之四百九十六

絶体絶命大大大ピンチ!!

……
……

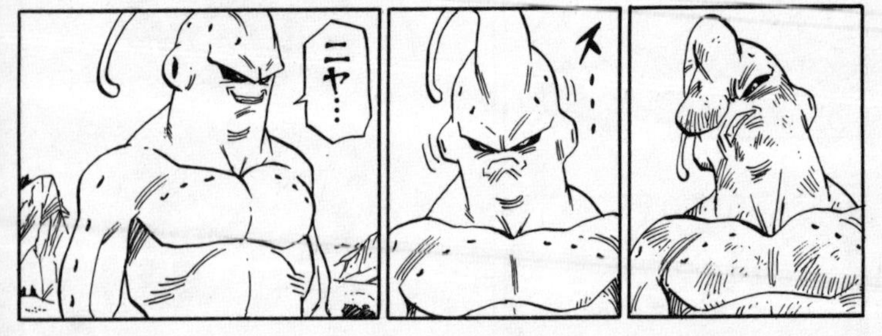
ス…
ニヤ…

え……えへ……えへへへへへ………
たっはっはっははは…!
い いや〜まいったまいった!
ゆかいゆかい…!

だ…
だめだ……
も…もう
おわりだ……!!
じ じいちゃんの
界王神さまっ!!
はやくしてくれ!!
チビたちのフュージョンが
パワーダウンしちまった!!
ほ ほんとうですか
おとうさん!!
ああ!!
あれじゃ
殺される!!
よし
じゃあ
行ってええぞ
もう
とっくに
完成しとる
から
え!?
か
完成
してる!?
とっく…って
いいったい
どれぐらい
前から…!?
ん~~~
5分くらい
前からかな
なっ なんで
もっとはやくに
教えてくれなかったん
ですか!?
バカたれ
ピンチになってから
行ったほうが
ドラマチックじゃろが
………
た
たいへんだ…!!
だったら
いそがな
きゃ

ど　どうやったらその最強の戦士になれるんですか!?
なあにおまえよくスーパーなんとかに変身するじゃろ
あの要領じゃ気合いをこめればええ
超サイヤ人の要領ですね…
わ　わかりました…!
はあっ!!!!
ドンッ

あ!!!
ひゃあ!!!!
!!

バ…バカタレ!!
あ あんなに
ちかくで
なりおって…!!
す……
すごい……
すごいですよ
おとうさん!!!

ほ……ほんとだ……
ほんとにすげえや……
めちゃくちゃだ……!
しんじられねえや まったく…見たとこたいして変化がねえ…超サイヤ人でもねえのに…
こ…こんなに極められるもんなのか…
ふん 変身すりゃいいってもんじゃない
スーパーなんとかなんぞ邪道じゃ…
は はやく地球へ…! とりかえしのつかないことになってしまいます
われわれが送りますから!!
いえ わたしひとりで送ります
なにをいうんですかキビト! 最後まで見とどけるのは界王神の責任です!
失礼ながら二人が行ってもただ足手まといになるだけでは……
このわたしも送り届けたらすぐに ここへ帰るつもりです
すばらしい救世主のジャマはしたくありません
キビトさん…
なるほど…
そのとおりです わかりました
お願いします!
すまねえな悟飯…
オラは行きたくてももうムリなんだ

見たかったな
近くで…
おめえが
でっかくなった
ところをよ
おとうさん…
これでもう
悟飯に
会うことは
わえ…
おめえが
あの世に
くるまではな
がんばれ!!
魔人ブウを
ぶっとばして
こい!!
はいっ!!
グッ
ポンッ
よし!
行ってこい!
さようなら!
おとうさん!!
フッ

シュッ
……あいつめ……
いちばんがんばった わしに礼をいうの わすれていきおった…
ではすまん たのんだぞ
はい
あの…
ん?
キビトさん お願いがあるんですが ……この服かえてもらえませんか?
おとうさんとおなじ服にしてほしいんです
……ぜひ おとうさんの道着で闘いたい……
…うむ なるほど
おやすいごようだ
え…と…
色は惑星ポポルにいるカエルのフンの色だったな
あの… 山吹色ですけど…

うん
バッチリ!!
ありがとう
ございます!!
わたしは行く
はるか遠い界王神界で
偉大なる戦士の勝利を
願っておるぞ
さようなら!
ふたりの界王神さま
にも よろしく!
フッ
よし
行くか!

ま…まいったな〜
フュージョンも
おわっちゃったよ……
も……
もしかして
さあ……
こ…殺され
ちゃうよね
…ぜったい…
くそ〜〜
オレたち
まだ若いのに
よ〜〜っ!!
ひ〜ん
トッ
たよりに
なるとは
おもえんが
オレも闘う……
やるだけやって
いっしょに
死のう……
くっくっく……

ム……
ビクッ
ササッ
ドカッ

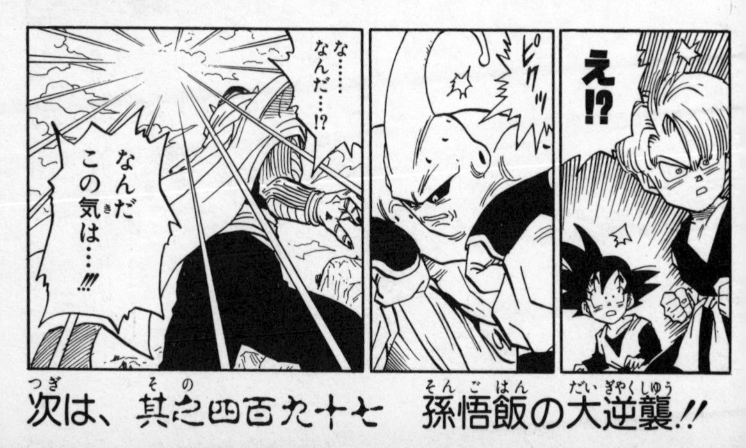

次は、其之四百九十七　孫悟飯の大逆襲!!

だっだれか来る……!!!
……だれだ…………!?
…………
つ……強い気だ…!!!
わ…わからない…!!!
なにものだ……
新たな敵なのか……!?
ガウ…!!

ブァアアア!!
ごっ…
悟空だっ!!!!
ち　ちがうよ!!!
にいちゃん…
にいちゃんだ!!!!
な……
なにっ!?
………
そんな……!!!
ザザザッ

よかった
まにあって……
悟飯さん!!
にいちゃん!!!
よかった!!!
死んだんじゃなかったんだね!!!
ああ
あぶないところを
助けられたんだ
界王神さまに…
いままで
界王神さまの
ところに いた…

あ…あれが
悟飯なのか…!?
ち…ちがう…
どこかちがうぞ…
…………
顔つきも すこし
ちがうが…
…以前とは
気の種類がちがう…
……あ…あまさも
消えている……
…だから あいつとは
わからなかったんだ…
ほかの
みんなは?
殺されちゃったよ
魔人ブウに…!!
なに!?
母さんや
デンデたちもか
………!?
そうだよ!!
ボクたち
いがい
みんなだよ!!
ぎ………
し…しまった…!!
デンデまで殺されて
いたとは……!!
な…なんてことだ!!
…頼みの綱の
ドラゴンボールが
消えちまった…!!
へっへっへ…
おいしかったぞ
み——んな
たべちゃったんだ
オレが
チョコにしてな
…いや…
ちがう…
…感じるぞ…
かすかな気を…

ニヤ…
ふう…
ザ…
キッキッキ…
おい
まさか…
オレと
たたかう
つもりか？
ちがう
きさまを
殺すつもりだ
ほう！
ほうほう
ほーーう！
…おもいだした！
おまえ まえ オレに
ぶっとばされたヤツだ!!

ム…ムリだ……!!!
いくらなんでも
まともに闘ったんでは
勝てはせん……!!!
やっやばいよ!!
ボクたちも
フュージョンで
いっしょに
闘わなきゃ!!!
ムリだ!!
そんなに
すぐじゃ
できねえよ!!
わ
わかってる
けど
やって
みようよ!!

が…!!!
!!
!!
ぎ…!!

ザッ
ぐう!!!!

……!!
があっ!!!!
ガッ

うおりゃ――っ!!!!!

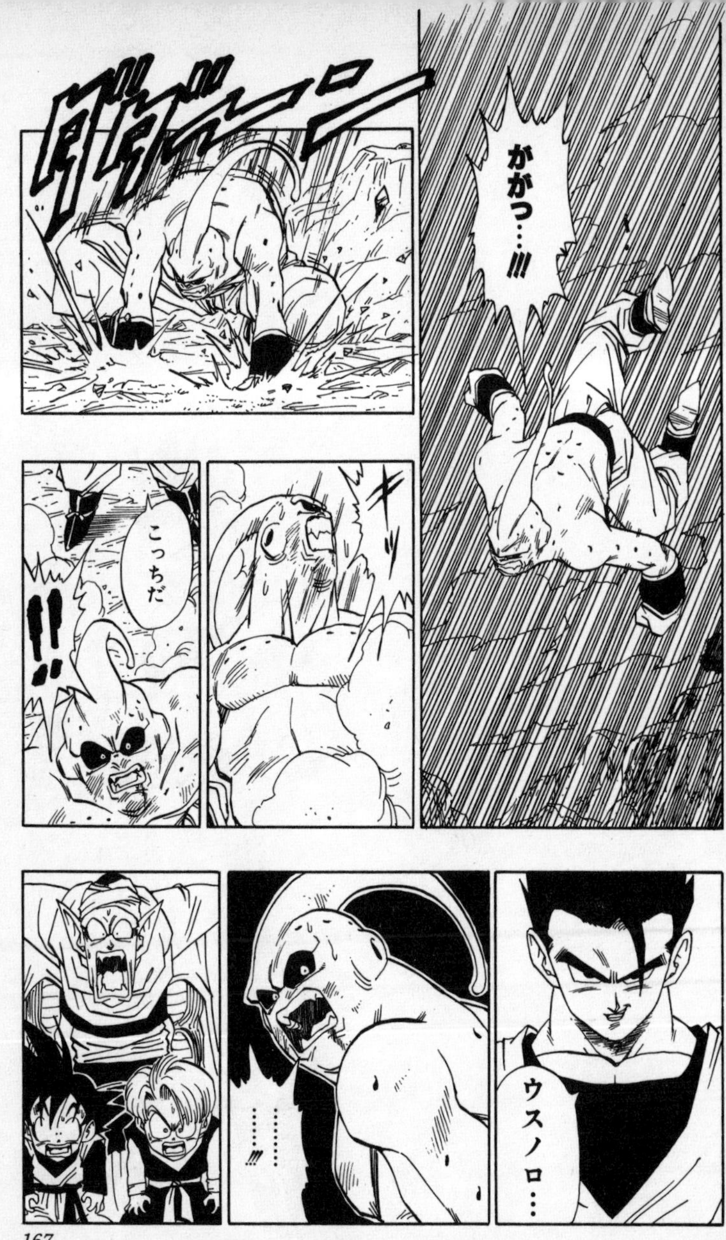
ががっ…!!!
キッ
こっちだ
!!
ウスノロ…
……!!!

其之四百九十八

魔人ブウの不気味な動き

やっぱりな……
おまえだったか…
なに…？
…どういうことだ　それは……
とおい　とおい　ず～～～っと　とおいところで　つよい　チカラを　かんじていた…
オレは　オレより　つよいチカラを　ゆるさない…
そうか…念のために力をためしてみたらホントに自分より上だった……
…そいつは残念だったな　魔人ブウ
フン…
………いいか…
ギ…
……よくきけよ…
…オレは…

おまえだけはゆるさない…!!!!
ぜったい ぜったい ぜ――ったいだ!!!! ゆるさないぞ!!!! ぶちころしてやる!!!!
そいつが無理なことは きさまが いちばん 知ってるはずだ…
たのしみだあ…
ニ…!
ブル…
ブルブルブル…
ブル…

……
!?
!!
ちっ!!!

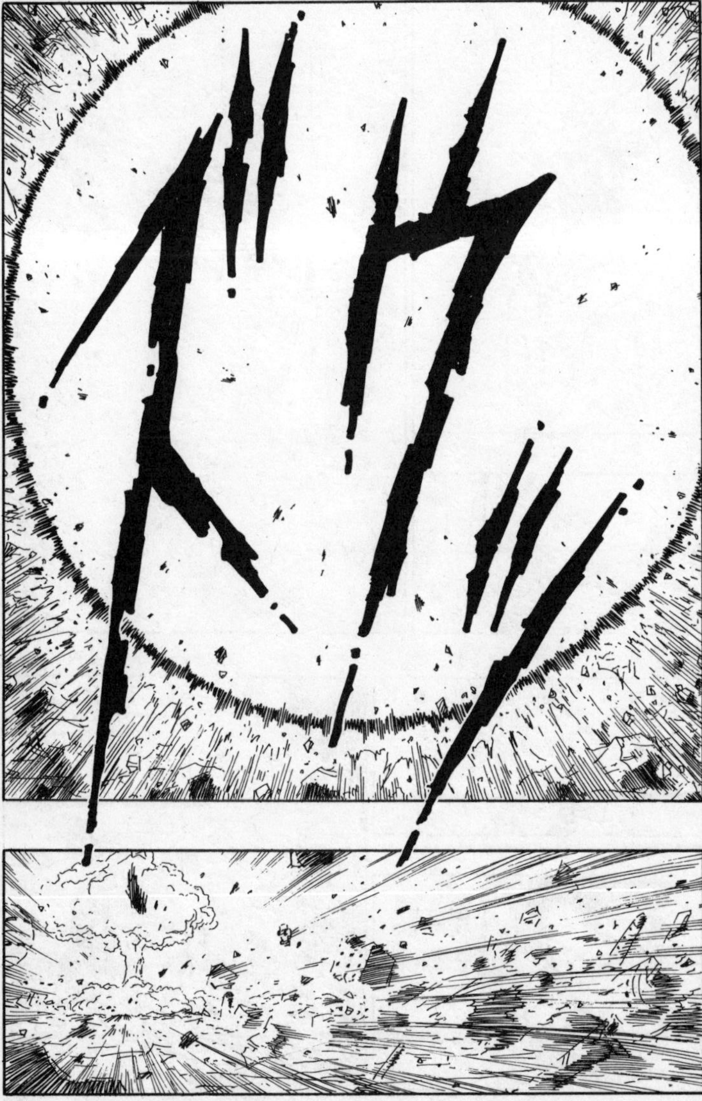
ドカッ

ゴゴゴゴゴ・・・
す…すまん悟飯…たすかった……
いえ
ひ…ひえ〜〜〜〜っ やばかった あ〜〜っ
じ…自爆するとはな〜
……死んだのか？ ブウは…
いえ
え⁉
じ 自爆したんじゃないの⁉ 悟飯さんをまきぞえにしようとして…！
まきぞえにしようとするなら もっと でっかくやったさ 地球が あとかたもなくなるほど…

どういうことだ…逃げたのか？
気を感じないぞ
あいつだって気を消せますよ…
かかくれてチャンスをねらってるのかな!!
………わからない…
…でもなにかを企んでいるようだった…
もしほんとに生きてたってへっちゃらだぜ！
あのやろう悟飯さんに手も足もでなかったもんな！
オレたちの超ゴテンクスぐらい強かったよな！
もっと強かったよ
そうか？…うん……ちょっとだけな
きかせろ悟飯…
どうやってそこまで極めたか…
へえ〜〜〜…
そんなすげえじいさんが…
それよりドラゴンレーダーはだれが？
ああ
ピッコロさんに渡しましたけど
あ…ああ…
…たしかにこのオレが持ってはいるが……
………その………

…デ…デンデが殺されてしまってはドラゴンボールはもう……
え？
ドラゴンボールがなに？
だいじょうぶ デンデは生きてますよ
ほら かすかに気を感じるでしょ？
なに!?
………あ………ほ…ほんとだ！

………あのやろう…
ほんとに皆殺しにしやがって …どこにも人っこひとりいねえや…
う… うん…
ん!?

なんだ……人か!?
はい……
………あれは……
はあ はあ……
ひい…ひい……
ビ…ビールがのみたい~
…水でもいい~~~

あ! ミスター・サタン! なんであいつだけ生き残ってんの!? しぶといヤツだな~~~……
ほっとこ ほっとこ
いや いっしょに連れていってやろう……
ああみえても根は善人なんだ あいつは あいつなりに地球を救おうとした…

ど……どうも……
あれ…!? お おまえは…
こんにちは

…しかし…
なんでデンデだけが
助かったんだ…
ブウに時間は
タップリあった
さがしだして
殺すには
じゅうぶんに…
え？
おとうさんが
いってたけど
精神と時の部屋で
闘ってて 先に
ブウだけ 出ちゃっ
たんでしょ？
そうだ
次元の壁を
破ってな
…でも
そのあと わりとすぐに
ピッコロさんたちも
出たんでしょ？
ここでの1日が
部屋の中じゃ1年なんだから
…ほとんど
ブウの一瞬あとに
ピッコロさんたちが
出たんじゃないですか？
そ そうか!!!
なんてことだ
オレは逆上して
カンちがいしていた!!
…そうだ…！
まったく その
反対だったんだ…!!
次元に 穴があいていた
時間をさしひいても
ほとんど 十数秒ほどしか
タイムラグは なかった…!!
ヤツに
逃げたデンデを
さがして殺す時間など
なかったんだ!!
あ——っ
!!
ど
どうも

デンデ…!!!
よく逃げのびたな でかしたぞ!!
ゴンッ
いでっ!!

ポポポさんが ボクだけは ぜったい 死んじゃいけないって
ボ ボクを すぐに 下界へ放り投げて くれたんです…!!
そのとおりだ!! おまえが死んでは ドラゴンボールも ただの石…! 地球は ゴーストタウンの ままだった
さすがは ミスター・ ポポ…!! すばらしい 判断だった ぞ

…おい… な なにものだ? あの顔色のわるい ガキは…
こら ガキとはなんだ! 神様だぞ 神様!
へ!?
な なんだって!?

ふう…
よかったあ！
あの…
さっきからあなたがいってるドラゴンボールというのは…？
う〜〜む…それにしても…
…いったいどうするつもりじゃ魔人ブウは…
勝てっこないのに
………
なっ…ななっ…なにい〜〜っ!!
ビ…ビビ…ビーデルが…こっ殺された……!!!
そっそそそっそん…な〜〜っ!!
ビッ…ビビ…ビーデルがぁ〜〜〜っ
だいじょうぶだよおじさん生きかえれるからさ
……!!
い…生きかえれる!?…ビーデルが!?ホントか!?
うそじゃないだろな!!うそついたら針千本のませるぞっ!!
しっ！
!!
えっ!?
ま…魔人ブウだ……!!

ま…まさか…!
…あいつ もう闘うつもりなのか!? …ほんの1時間ほどでなにが変わったというのだ…
スッ…
こんどこそとどめをさしてやる…!
みんなはまきぞえをくわないように気をつけて…
バンッ
さあみせてみろ
…なにが変わったのか…

罠

トッ
えへえへ……………
……………
…妙だな…なにひとつ変わっているようにはおもえない……
なんだ……？こいつ…いったいなにをかんがえてる…
ちぇ…ハッタリだよハッタリ！
あんなのまたすぐに逃げだすさ！

チラ…

おい
チビたち
でてこい!!
オレは
おまえたちと
たたかいたい
――っ!!

なに!?
え!?
な
なんだと!?
ボ
ボクたちと!?

かんちがいするな
きさまのあいてはこのオレだ
うへへへ…
まず チビたちと
けっちゃくをつけるんだ
そのあと
おまえと
たたかってやる

なんでだ!!なんで そんなまわりくどいことをするんだ!
きさまはこのオレを倒したいんじゃなかったのか!
どうしたチビたち!!!
オレとやるのがこわいのか!!
さっきまでのいせいのよさはどうした!!
なんだと~~~~っ
ボクたちがこわがってる!?
てめえぜんっぜんわかってないようだな!!
さっきだってもとにもどらなきゃかんっぜんに勝ってた勝負だったぜ!!
へ~~~そうだったかな?そのわりにはびびってるみたいだけど~~
なんだと~~っ!
びびってるだってよ…!よ~~~し バカなヤツだ!やってやる…!!こんどこそやってやろうぜトランクスくん!!
あったりまえだぜ!!
あんなヤロウになめられてだまってられるか!!
まて!なにか変だぞ…
おかしいとはおもわんか…なんで…

かんがえすぎだよ
ピッコロさん！
どんな作戦があるってんだよ
あんなバカなヤツにさ！
よし!! 時間はバッチリたってる!!
フュージョンできるぜ!!
おいっ…
うんっ!! こんどは いきなり
超ゴテンクスでいこうよ!!
フュー…
ジョン
ほいっ!!
ほう…
ニヤ…
ジャジャーーン!!
またまた やってきたぜ!!
正義の死神
超ゴテンクスだーーーっ!!!

……あのチビのパワーと…
ピッコロというヤツのアタマさえたせば…
ボシッ
おおいっち…!!
スタッ
ドロ・・
ままあまあここはひとつオレからやらせてよ
へっへっへ…とはいってもオレがあっさりやっつけちゃうんだけどさあ!
ズズズ・・・
いいだろう
…だがゆだんはするなよ
スス—・・

ブブン
さあこい!!
よぉ～～～～し
かくごしろよ!
こんどこそフィニッシュまできめてやっからな!
ブアッ
え!?
!!
んぐ……!!!
なっ…!!
なんだ!?
む……!!

うあ…っ!!
ぐむ…
ピ……
ピッコロさんっ!!
きっ きさま!!
なにを……
クイッ
ビュッ
ビュッ
!!

いただき
ーーっ!!!

ベチャッ
ベチャッ

!!
ご…!!
ぐごごごご…

ち…ちく…

お……
おおおおお……

し…しまったあ!!
…そういうことか…!!
やれ悟飯!! やるんだ!!! 気にするな!!! 今のうちに やれ――っ!!!
ぐ……!!
ぐぐ…
おお…
…お……
……

はあ…

…どうかな 悟飯くん
ぶじ 作戦成功だよ
みたまえ
すばらしいだろ？
この瞬間こそ
未来においても にどと
現れぬであろう
最強の魔人の誕生だ

！…
ザッ
…きたないぞ てめえ……
……二人を自分に取り込むなんてよ……
おまえのせいだぞ
おまえは絶対に 最強であるはずの わたしより強かった…
はるか遠くに おまえの存在を感じた時から この作戦ははじまっていた… もしかして わたしより強い者がいるかもしれん……
…そこで 考えたんだ その時闘っていた 超ゴテンクスとかいうチビを我が身に吸収すれば どんなヤツが現れたって 最強の王座は揺るがないと……
…だが そのチビのパワーには時間が限られていたらしかった そう話していたんだ
もし吸収する瞬間に もとにもどられてはこまるからね…… 次の機会を待ったんだ…
ふたたび超ゴテンクスとやらになるには 1時間あればいいらしい…… だからそれまで消えてたんだよ

……けっ……
そういうことだったのか……
……だが　そうやってペラペラしゃべくってるわりには
アタマの悪さは変わってないようだな
どうせ　吸収して1等賞になりたかったらこのオレを吸収すりゃカンタンだったのによ…！
くっくっく…なにもわかってないようだな…
敵もいないのに最強になってどうするんだ？
なに？
……
……

前の魔人ブウが言ったはずだろ？
絶対に　おまえをぶっ殺してやると…
それが最大の目的だ…
ギュ…
……なるほど…そういうことか…
…なっとく…

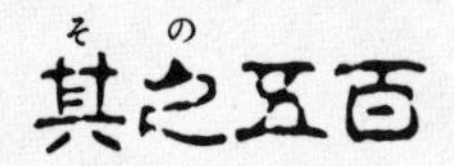

大逆転

さて……と
勝負を急がせてもらうぞ
吸収した超ゴテンクスとやらは変身時間が　かなり限られているようなんでね
きさまにしては冷静な判断だ……
ピッコロさんも吸収したのは正解だったようだな…

しゃあっ!!!!!
ガッ
!!
くっ!!!
ガッ
ちっ…!!

おっと!!

シュルルルッ
ギュルルッ
ぬっ!!!
パッ

はあーーっ!!!
ぐっ!!!

バシッ
ズバッ
ガッ
あうう……!!!

悟飯さんうしろっ!!!!
!!

ひいいいいっ!!!!
どうした?そんなところに気を消してかくれて…
シャッ
時間かせぎのつもりか?

ということは
たったあれだけで
悟ったようだな…
このままじゃ
とても
かなわないと…
だまれっ!!!

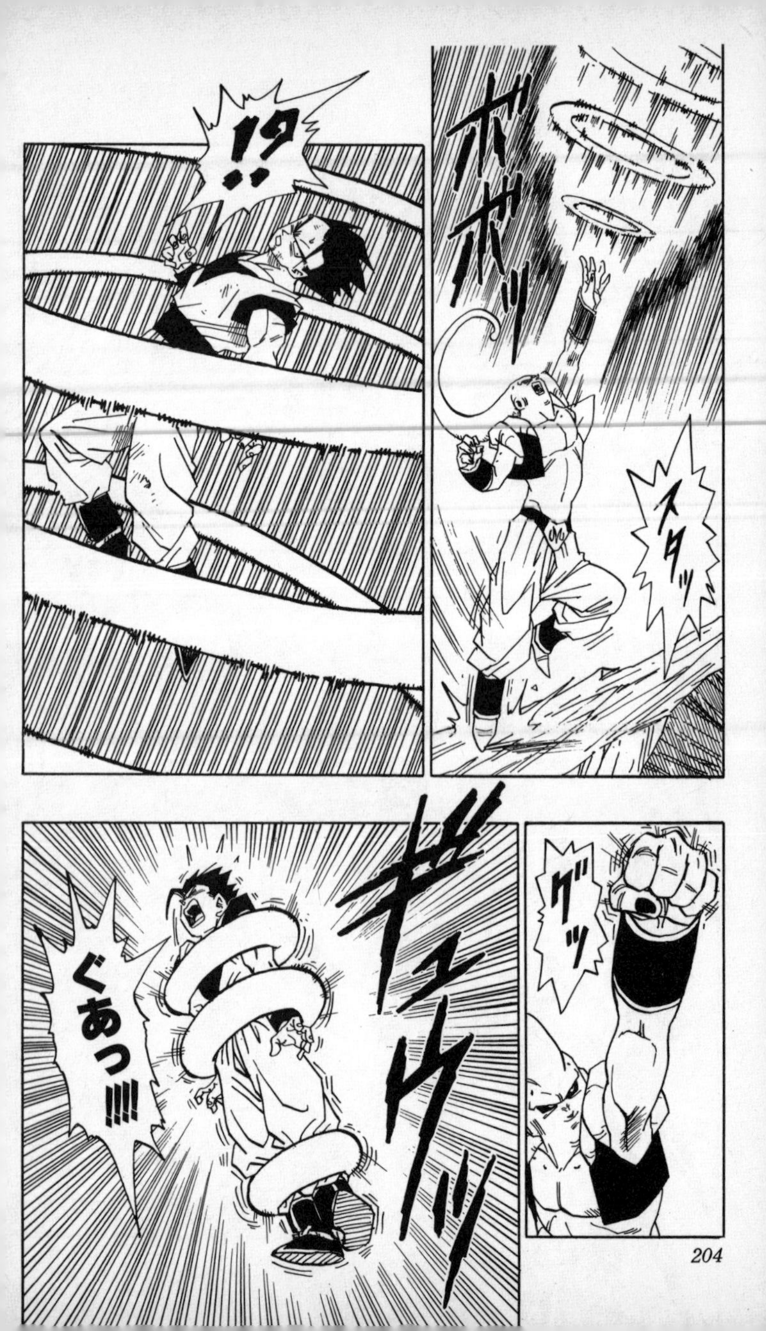
ボボボッ
スタッ
!?
グッ
ギュウウッ
ぐあっ!!!!

ビビッ
!!
ふっふっふ……そいつはゴテンクスとやらの技だ……
どんな気分だ？仲間の技にやられるってのは
ちっ ちきしょう……!!
ダ ダメだ…これじゃやられちまう!!
…悟飯っ……!!
こりゃあ計算ちがいじゃったのう……
…しゃあない 孫悟空 おまえ てつだいにいってやれ！
え…!?
…い いや オラはもう…
…そうです ご先祖さま じつは 孫悟空は もう にどと現世には いけないのです…
んなこたあ知っとるわい

かわりに わしの命をくれてやるんじゃ
それで おまえは生きかえれる
だ…大界王神さまの命を……
オラに…!?

いいけませんっ!!
だ大界王神さまのお命をよりによって人間にあたえるなどと……!!
……なんてことを……!!
だったら全宇宙はもうおしまいじゃ
魔人ブウはきっとここへも来るぞ
う……!
ではせめてこのわたしの命を……!!
わたしもそれぐらいは役に立ちたい……!!
ムリせんでいいおまえはまだ若い…
わしはどうせあと千年ぐらいしか生きられんじゃろから…
じ…じいちゃん…
ブーーーン
…こいつもおまえたちの技だ……
これで死ねるなら本望だろ?

くっ…!!!
くあああ…!!!!
あっけなかったな!!!!
だあああっ!!!!
だっ!!!!
!

ゴオオオ
う……
しぶとい
ヤツだ
う……む……
もしものことを
考えて 魂を
そのままに
しておいて
よかったわい…
…それに
肉体も
あたえた…
た…助けになって
やってくれ…
…さあ 占いババ
本意ではないが
地球に つれていって
やってくれ…
いそいでな……
ふん…
悪人のオレに
たのむとは…
…だが
あいてが魔人ブウじゃ
そのかすかな期待に
こたえられるとは
おもえんがな……
わかり
ました…

次は、其之五百一 救世主登場!?

どうした
がんばれよ
く……
ずいぶん弱ってきてるぞ
ちっ…!!!
おっと!
ドスッ

ん!?
はあっ

ゴゴゴゴ‥
わひひいいいい…っ!!!

う…
くく…
まだ10分ぐらいの時間は残っているはずだ
楽しませてもらうぞ
ドガッ
バキッ
ズドッ
お…おいっ
や
やられてる!!
やられてるぞっ……!!
あ あなたは犬をつれてとおくに にげていったほうがいい!!
まきぞえを…

ふふん…
なあに いざとなれば
武術家のチャンピオンとしては こいつはつかいたくないのだが…
ジャキッ
この45口径が火を吹くことになるぜ…!!
どうだ————っ!!
………
………

じゃあ いってきます！
ちょっと まて!!
孫悟空！
え!?
いくのはいいが いったい どうやって 魔人ブウを やっつける つもりじゃ？
言っちゃわるいが 今の魔人ブウは おまえさんたち ふたりがかりでも 勝てるとは おもえんがの…
……あ… …あの…
……ん………
………
そうだ!! フュージョン!!
オラと悟飯とで フュージョンすんだよ!! 勝てる!!!! ぜったいだ
フュージョン………
……うむ…… あのチビたちも やっとった あれか……
魔人ブウが あの フュージョンとやらの やっかいな変身ポーズを とるあいだ ジッと待っててくれるとは おもえんがね…
………
じゃ じゃあ どうすりゃ いいんだよ!!
さあ やっつけてこいって いったのは 界王神さまだぜ!!
ニヤッ
そこでだ

ピッ
ピッ
さあ!このポタラの片方を左耳につけろ!
え?

……?
こ これをつけると強くなれるのか?
?
もう片方を悟飯の右耳につけさせるんじゃ
たったそれだけでおまえたちは合体できる!
フュージョンみたいにな

えっ!!! ほっ ほんと!?
あったりまえじゃ しかも効果はフュージョン以上!
これが界王神の昔からのとっておきのお宝だったんじゃから
し…しりませんでした…
ほんとにちかごろの若いヤツはしょうがないのう…
だから弱っちいんじゃよ界王神のくせに ほれ ちょっとためしてみい おまえとキビトとでじぶんのポタラを使って…

キビトさん
あなたは左耳の方をはずしなさい
わたしは右を…
は…
はあ…
わっ
おおっ!!
ぶっ…
ぶつか…
ドゴゴゴッ
ザザッ!!
ごっ
悟飯さんっ!!!
あ…
あう…
……
だいじょうぶ
ボクがなおします!!
ボコッ

くっくっく…
ボロボロだな
……もう
あきてきた…
そろそろフィニッシュを
きめるか……!
タタタッ
ムクッ
ん…!?
サンキュー!
デンデ
バカな…!
もとどおり
復活した…!!
なにものだ
あの おかしな
チビは…
…だが
しょせん ただ
もとどおりになった
だけ………
パワーアップした
わけではない…
わずかに のびただけだ
…苦しみの時が…

はっ!!!

ぐわっ!!!
ついでに
あの
うっとうしい
チビも
しっ
しまったあ……!!!
わ…!!!
くっ
くそ———っ!!!
!?
はっは———っ!!
どっ どうだ!!
45口径の威力を
おもいしったか
———っ!!
……え!?

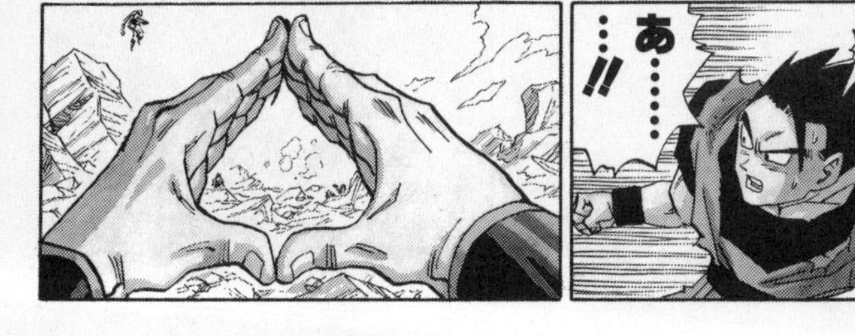
あ……
……!!

てっ…天津飯さんっ!?
…や…やはり孫悟飯か…しんじられん…みちがえたぞ…
…魔人ブウの変わりようにもおどろいたがな……
ち…
…うっとうしいザコがまたふえやがったか…
…だが ザコはしょせんザコだ…

ああっ!!
うおお―――っ
すっ すごい!!
すごいパワーですよーっ!!
ははー――っ
あ…
あら～～～
悟空さん!!
これならわたしも闘えますよ!!
いっしょに行きましょう!!
おちょうしにのるんじゃない!
いくら強うなったって
もともとがたいしたことないんじゃ
まともに闘えっこないじゃろ
ブウに吸収されるのがオチじゃわい
ここに残っとれ
は…
はあ…
こいつはたしかにすげえよじいちゃん!
…で合体してられる時間はどれぐらいなんだ!?
むっふっふ…
ポタラにそんな弱点はないわい
永遠にじゃ!!
もう にどともとにもどるようなことはない!
え!?
ま…まいったなあ
………
ずっと悟飯と合体したままか
………
…しょ…
しょうがねえか…
そ…それしか方法ねえんだもんな…
……もしかして
平和になったら悟飯の学校に通わなきゃいけねえのかな…

ブツブツいっとらんでさっさと行けいっ!!
死んでしまうぞ悟飯が
あ!
はははいっ
じゃ…
行ってきます!!
いろいろありがとうございました!!
ブーン

ザコもろとも地球ごとこいつで消し去ってやる!!!
防げるものならやってみるがいい!!!
………!!
く…くっそ~~~~っ!!
じ…次元がちがいすぎる…!!役に立てん…!!!
ゆゆるせ魔人ブウ…!!
死んでくれいっ!!
サッ

ピッ
ピッ

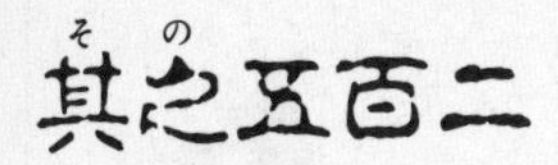

成功するか!?ポタラの合体!

そっ
そんなこと
いってるばあい
じゃ…
いそいで
ま まずいですよ
魔人ブウが と…とどめを
さすつもりです……!!!
お おうっ!!
ほんとだ!!
やばいっ…!!
はやく!!
バイ!!
なにもかも
消えてしまえ
――――っ!!!!
ダンッ
ダンッ
すっ
すまん
魔人ブウ!!!

シャッ
!!
ザッ

ゴウウウーーーッ
ドサッ
!?
あ…!!!
お…おとうさん!?
…え!?な…なぜ下界(げかい)に…!?

プル
プル…
…………
…………
あ…!!
カ…カラダが
ち…ちぎれて
しまったあ…!!
ゆ……
ゆるしてくれ…
しょうがなかったん
だああ……
………きさま
………たしか
前に会ったな……
……そうだ
妙な変身をした
ヤツだ
……なんだ
助けにきたつもりか?
バカなヤツだ…
あのときの魔人ブウとは
根本的に次元がちがうのが
わからんのか?
ニヒッ

はっは――っ!!
えらそうに
してられんのも
いまのうちだぞ!!
こっちは
もんのすごい
パワーアップアイテムを
用意してんだ!!
なに?

え…!?
クックック…なにをいいだすかとおもえば…
……
ムクッ
ドガガッ
ぐっ!!!
お……お……
あ…!てめえ…!
シュッ
ピタッ…

…いまのヤツも かなりの達人らしいが たった一蹴りで あのザマだ…
…くだらんホラを 吹きおって…… ハッキリいうが きさまなんぞが なにをしようと ぜったいに ダメージすらあたえられはせんぞ
へっへっへ… そのわりには あわてて カラダを もとに もどしたじゃねえかよ
…まさかとか おもってんじゃ ねえか？
………ふっふっふ… ザコが…
よほど 殺されたいらしいな ……よかろう
シャッ
悟飯っ これを!!!
え!?
ガッ
カラッ カラカラ…
あ!!
い!!!

ひっ ひろえ はやくっ!!!
え!? は はいっ
ど… どこだ…!?
そっ そいつを 右の耳につけるんだっ!!! オッ オラと合体して ブウを倒すんだよっ!!!
…なんだと? ……合体?
………… そういう ことか……
…そんなことをしても ムダだとはおもうが いちおう ジャマさせて もらおう
きさまを先に 殺してやる…!
ちょ ちょっと タンマ…!!
まってくれよ たのむ……!!!
死ね!!!
な… ない…
…ないっ!!
あ…あの バカタレ…!!
ダッ… ダメだ~~~っ!!!

ちっ
ちくしょう……!!!
ふははは!!!
ムダだ!!!
う!?
あった!!!
え…!?
こっこれ界王神さまたちのでしょ!?
こっ これをどうするんでしたっけ……
……あれ?……

う…
うおおお…
し…
しまっ…
あうっ!!
パッ
あ……!!
はっは――っ!!
ピッコロが強くでてる!!
フュージョンしたチビたちがもとにもどっちまったようだな!!
時間切れだ!!
ざ――んねんでした!!
パワーがうんと落っこっちまったぞ
ちぇ…
ちょっとガッカリだな…
それなら悟飯だけでも勝てちまうぜ
……
イッ
………
…もしものときのために保険をかけておいてよかったよ…
ニッ…

え？保険？
なんのことだ…
ごそ…
グニョ…
この切られた部分
…なぜ もとにもどさなかったとおもうか？
へ!?
バッ
え!?
わあっ!!!
ガバババッ
チャラ…
しっ
しまったああ……!!!!

はあっ!!!!
ギュオッ
そっ
そんな～～～っ!!!
そ……
あ…あかん…
…お…おわりじゃ……
グッ
ウオオオー…ッ
…そりゃねえだろ～～
もう～～～っ

ふ…
ふははは…!!
これは いい!!
前より さらに
パワーアップしてしまったぞ!!
しかも こんどは時間制限
なしだ!!
…………
ご…
悟飯との
合体が
～～～……
しょ
しょうがねえ!!
だ だれか
ほかのヤツと…
て…
天津飯は
ダウン…
デ…
デンデは
戦士じゃ
ねえ……
へ?
………
ミ……
…ミスター…
サタンか
～～～!?
ガーーーン

パワーアップした悟飯でも、ピッコロ・超ゴテンクスを吸収した魔人ブウには歯が立たなかった！もはや、地球を救えるのは、悟空しかいないっ！ポタラを使って反撃だ!!…とその前に、週刊少年ジャンプに載ったそのままの扉ページ大特集ッ!!!

DRAGON BALL
ドラゴンボール
其之四百九十四
がんばれ超ゴテンクスくん
鳥山明
BIRD STUDIO
悪役顔でも正義の味方!!
正義の味方でもイタズラッ子!!

DRAGON BALL
ドラゴンボール
其之四百九十七
孫悟飯の大逆襲!!
鳥山明
とりやまあきら
BIRD STUDIO
究極パワーUPの悟飯を見よ!!

祝!!みんなのおかげで10周年!!　連載500回突破記念巻頭カラー

DRAGON BALL

——ドラゴンボール——

其之五百一
救世主登場!?

鳥山明
BIRD STUDIO

SATAN

97

強いぞ　僕らのミスター・サタン!!平和の使者はもらったぜ!?

■ジャンプ・コミックス

DRAGON BALL

41 がんばれ超ゴテンクスくん

1995年6月7日　第1刷発行
1997年8月15日　第6刷発行

著者　鳥山　明

編集　ホーム社
東京都千代田区一ツ橋2丁目5番10号
〒101-50　電話　東京　03(5211)2651

発行人　坂口紀和

発行所　株式会社　集英社
東京都千代田区一ツ橋2丁目5番10号
〒101-50
電話　東京　03(3230)6233(編集)
03(3230)6191(販売)
03(3230)6076(制作)
Printed in Japan

印刷所　株式会社美松堂
中央精版印刷株式会社

ISBN4-08-851500-5 C9979